MATISSE

Conception graphique :
Roman Cieslewicz

© Fernand Hazan, Paris, 1983
    Nouvelle édition revue et corrigée, Paris, 1987
© SPADEM, Paris, 1987

Achevé d'imprimer en 1987
par l'imprimerie Garzanti, Milan

ISBN : 2-85025-120-8

Bernard Noël

MATISSE

HAZAN

Baigneuse
1909

Tout a un commencement et pourtant rien ne commence. C'est que le commencement repérable est toujours un cas particulier dans une succession, dans une continuité, dont l'origine précise nous échappe. Chaque commencement ne fait donc qu'assurer la suite, et tant pis pour nous si le temps de dire « Je » sert tout juste à perpétuer l'espèce ou l'art ou l'un de ces genres durables, qui, en effet, nous engloutissent dans leur durée.

— Vous allez simplifier la peinture...

Ces quelques mots, Gustave Moreau les adresse à Henri Matisse : ils sont un commencement que leur diseur même efface puisque, les disant, il représente la continuité qui voit son avenir. Matisse en a été frappé ; il les rappelle sa longue vie durant, tantôt avec quelque ironie, tantôt en soulignant leur clairvoyance.

Un de ces rappels est plus circonstancié, car le souvenir s'y épaissit de la présence de Gustave Moreau :

— Vous n'allez pas simplifier la peinture à ce point-là, la réduire à ça. La peinture n'existerait plus... Et puis, il revient et me dit : Ne m'écoutez pas. Ce que vous faites est plus important que ce que je dis. Je ne suis qu'un professeur, je ne comprends rien...

La scène a lieu entre 1895 et 1898, époque où Henri Matisse n'a encore peint aucun « Matisse ». On peut très sensément la rapprocher d'une autre scène, survenue en 1942, au cours d'une visite d'Aragon, qui relate cette exclamation de Matisse devant l'un de ses plus beaux tableaux :

— J'ai travaillé des années pour qu'on dise : Matisse, ce n'est que ça... !

D'ailleurs, pour que le visiteur n'oublie pas l'exclamation, le peintre a pris le soin de la noter dans la marge du manuscrit que venait de lui soumettre Aragon, et qui a paru sous le titre : *Matisse en France*, avant d'être repris, beaucoup plus tard, dans *Henri Matisse, roman*.

Le « que ça », qui réalise la réduction prévue par Gustave Moreau, est également le résumé le plus expéditif de toutes les critiques adressées à l'art moderne. Matisse, en se l'appliquant pour caractériser son propre travail, en retourne le sens, et voilà retroussé le regard de tous les détracteurs. Ceux qui ne voient « que ça » ne voient pas le « ça » de la peinture mais le « que ça » de leur regard : ils confondent la peinture et leur vue de la peinture. Dès lors, comment pourraient-ils voir la vue du peintre, qui est le sens de son tableau ?

Ici, la relation toujours se brouille : le regard informe, mais en oubliant que c'est lui-même qui donne forme à l'information qu'il rapporte. Et la situation se complique encore du fait que le peintre prend le regard à son défaut et métamorphose la fausse réalité de notre vue du monde en réelle création du monde. Peindre est un dévoilement ; dévoiler est un acte inventif.

Gustave Moreau — d'où son influence sur Matisse, Rouault et quelques autres — est l'un des rares qui n'ait pas enseigné *sa* peinture (il lui suffisait bien de la faire lui-même), mais *la* peinture. Il recommandait la fréquentation du Louvre, moins pour l'histoire que pour saisir à quel point toute vue est une figuration, donc le reflet d'une mentalité et son expression. « Je passais mes journées au musée, note Matisse, et, ensuite, je retrouvais, dans mes promenades, des jouissances analogues à celles que j'avais ressenties dans la peinture. »

Moreau n'a peint que des imaginations ; Matisse a trouvé sa voie devant la nature et ce qui la peuple, mais pour l'un comme pour l'autre, l'imaginaire et le réel furent des motifs, non des valeurs. Le motif est secondaire : il nourrit les signes de sa matière ; il en est le support plus que la référence. Moreau et Matisse ne peignent pas la peau des choses ; ils peignent la couche d'œil que le regard dépose sur les choses pour s'y rendre visible. Moreau surcharge parce qu'il croit au sentiment intérieur plus qu'à la visibilité du signe ; Matisse simplifie parce qu'il tire le visible vers ce qui, par lui et à travers lui, fait signe. La peinture de Gustave Moreau est visiblement complexe ; celle de Matisse l'est invisiblement : elle s'épure en effaçant son propre processus. Et cependant que les deux peintres se séparent de la sorte contradictoirement, il ne faut pas oublier leur ressemblance : tous deux pensent que le tableau est beaucoup plus important que son sujet. Ils se rejoignent ainsi, et encore dans cette affirmation de Gustave

Moreau : « L'Art est la poursuite acharnée par la seule plastique de l'expression du sentiment intérieur. » Ou dans cette autre : « En art, plus les moyens sont élémentaires, plus la sensibilité apparaît. »

Les sources de Matisse sont tellement connues qu'il suffit de les énumérer : l'impressionnisme ; Turner (découvert à l'occasion de son voyage de noces à Londres, en 1898) ; l'art musulman (exposé au musée des Arts décoratifs, en 1903) ; la rétrospective Seurat et Van Gogh (1905) ; la découverte des estampes japonaises (« la révélation m'est toujours venue de l'Orient... », disait Matisse) ; Cézanne (« le bon Dieu de la peinture »). On voit immédiatement le résultat de ces influences : rigueur du regard agissant comme constructeur et révélateur, science des valeurs — d'où surgira l'art de ne composer qu'avec la couleur —, décision du trait et un « dépêche-toi ! » dont la vitesse commande tout à la fois la saisie, l'éclaircissement, la simplification raffinée. « Je n'ai jamais évité l'influence des autres, aimait à souligner Matisse, j'aurais considéré cela comme une lâcheté et un manque de sincérité vis-à-vis de moi-même... »

Matisse a le génie de la forme et celui de la couleur : sa recherche personnelle consiste à les unir jusqu'à les rendre non pas indissociables, ce qu'ont fait tous les grands peintres, mais indistincts, ce qu'il est le seul à faire. « J'ai toujours essayé de dissimuler mes efforts... », répète-t-il dans ses lettres, dans ses entretiens. Cette dissimulation n'a pas seulement fait disparaître l'effort, elle impose une impression de facilité, qui gomme aussi bien la conception que le sens de l'œuvre au profit du bonheur de l'expression. Un tel bonheur qu'il entraîne l'oubli complet de sa façon.

L'œuvre de Matisse est également unique en cela que, cachant sa difficulté, elle n'offre aucune prise. Comme la réalité, l'œuvre de Matisse se dérobe sous sa parfaite visibilité. Partout ailleurs, chez Mallarmé comme chez Joyce, chez Cézanne comme chez Kandinsky ou Mondrian, la difficulté offre en soi-même le moyen d'accéder à une construction qui devient révélatrice dès qu'on la pratique. Matisse déconsidère la difficulté de ses pairs en la faisant paraître racoleuse ; rien d'autre chez lui qu'une apparente simplicité, une surface souveraine — rien que l'UNI.

Vue de Saint-Tropez
1904

Cet « uni » n'a pas surgi spontanément. Il n'est pas non plus réductible à une explication. Il se confond avec l'histoire de toute la peinture de Matisse, du fauvisme aux papiers découpés. Matisse s'est tenu à l'avant-garde sans se mettre dans cette position ni s'y considérer ; sans lancer non plus la moindre théorie bien qu'il ait su, à l'occasion, formuler très clairement ses options. Personne n'a moins peint au hasard, et personne n'offre pareille impression de chance. Tout est calculé, voulu, travaillé, mais sans en avoir l'air. Le travail est un exercice de libération : l'œuvre n'est terminée qu'à l'instant où elle est libérée.

L'« uni » cesse d'exister aussitôt qu'on le détaille. Sa difficulté est là : on voit ce qu'il assemble ; son secret n'est pas dans l'assemblage. « Pour moi, tout est dans la conception », dit Matisse qui, ce disant, n'explique rien. Les propos de Matisse ont généralement cette tournure : ils suggèrent, mais ne proposent aucune recette ; on ne saurait les rabattre. Ils parlent assez peu de métier, préférant les attitudes, les réflexions, les postures mentales.

Vers la fin de sa vie, en août 1949, Matisse dit au père Couturier : « Je suis fait de tout ce que j'ai vu. » Il aurait pu dire la même chose de sa peinture. Tout ce qu'il a vu est re-vu à travers les formes qui l'entourent et qui sont ses motifs : vases, fauteuils, compotiers... La richesse du tout-ce-que-j'ai-vu enrichit le quotidien, le familier, au lieu de se dépenser dans le rare ou l'exotique. La première loi de l'univers de Matisse est qu'il faut indispensablement un sujet, mais ce sujet, toujours figuratif, n'est pas le but du tableau : il est, dans le tableau, le porteur du « tout ».

Le tableau ne décrit ni ne copie le sujet : il en généralise la vue en y investissant tout-ce-que-j'ai-vu. Le sujet n'a d'autre importance que son adéquation à la mentalité du peintre ; il doit pourtant la transmettre sans rien perdre de son identité. Le défi de la peinture, ou son mystère, c'est qu'elle puisse représenter un bouquet et faire penser à autre chose, sans que cette chose autre soit contenue dans les limites du sujet ni restreinte par elles. « C'est en rentrant dans l'objet qu'on rentre dans sa propre peau », dit Matisse. Rentrer dans l'objet, n'est-ce pas le représenter tel qu'il rentre

Les Poissons rouges
1911

Lierre en fleurs
1941

dans la vue et s'y transforme en elle, et non pas tel qu'il est devant les yeux ? Le sujet de la peinture permet d'exprimer une pensée sans l'assigner à résidence dans une signification arrêtée : cette pensée a un mouvement communicatif et non pas explicatif.

L'histoire de la peinture de Matisse commence le plus traditionnellement qui soit par des copies de maîtres : Raphaël, Poussin, Carache, Ruysdaël, Chardin, etc., et par des natures mortes qui tirent plus ou moins heureusement la leçon de ces copies. Ce qu'il poursuit alors, en particulier chez les Hollandais, « ce sont, dira plus tard Matisse à Pierre Courthion, les dégradations de tons dans la gamme argentée..., c'est la possibilité d'apprendre à faire chanter des lumières dans une harmonie assourdie, à graduer et à serrer au mieux les valeurs ».

La première œuvre remarquable — remarquable surtout parce qu'elle fait le point et la synthèse de ce qui la précède — est *la Desserte* de 1897. On y voit, dans l'angle d'une pièce, une grande table couverte d'une nappe blanche et chargée de carafes, verres, assiettes, couverts, compotiers ; une servante, tablier et bonnet blancs, arrange l'un des deux bouquets. L'ensemble est d'un réalisme déjà vu chez Manet. On note un rendu très soigné des reflets et des transparences : Matisse veut prouver son métier aux officiels du Salon de la Société nationale des beaux-arts, qui, en effet, le reconnaîtront. L'intérêt, pour l'avenir, est dans la diversité, l'abondance et la vivacité des couleurs. Dans la présence aussi d'une porte-fenêtre et de deux fragments de tableaux cités aux murs, éléments dont Matisse se servira beaucoup par la suite.

Ce tableau résume d'autant mieux l'époque pré-Matisse qu'on peut le comparer à *la Desserte rouge*, peinte en 1908. Entre les deux, une révolution. En 1897, Matisse est encore un peintre appliqué, laborieux, qui cherche vainement à délier un espace contraint ; en 1908, il a libéré la couleur et inventé un espace plastique entièrement nouveau.

La Desserte
1897

L'espace plastique est le moyen d'atteindre « l'uni » : Matisse ne cessera de le perfectionner dans le sens de la simplicité — donc de le dissimuler en elle. La première caractéristique de cet espace est qu'il se structure à partir du sujet sans être dans sa dépendance. Ainsi, dans *la Desserte* de 1908, on retrouve la table, les carafes, les compotiers et la servante à tablier blanc, mais ils font de la figuration au lieu de faire de la représentation. Le sujet désormais n'ordonne plus l'espace du tableau : il règle seulement la position des signes et, par là, les assure dans la signification qui permet leur reconnaissance. Dans *la Desserte* de 1897, l'espace est complètement tributaire du sujet, au point qu'ils paraissent évidemment inséparables ; dans *la Desserte* de 1908, l'espace pictural existe pour lui-même : le sujet n'en demeure pas moins clairement lisible, mais cette lisibilité même dérange la vue, qui perçoit là un prétexte dont le parcours ne lui suffit pas. La ressemblance, au lieu de rassurer, interroge, car elle n'est pas une fin, mais le support d'une ouverture : un appel à sortir d'elle, à s'envoler hors de sa limite...

Depuis la Renaissance, toute la peinture figurative occidentale a conjoint, dans son système de l'illusion, deux ressemblances en une, la composition servant à inscrire la ressemblance du sujet dans la ressemblance de l'espace. La perspective avait pour rôle d'unifier les deux ressemblances tout en réglant la vue qu'elle conceptualisait. Le dessin, bien sûr, était la base de cette représentation, lui seul étant capable de fonder l'illusion en simulant les formes de la réalité, tandis que la couleur ne servait guère qu'à le couvrir de tons locaux chargés de refléter à s'y méprendre les « vraies » couleurs.

Dans *la Desserte* de 1908, l'espace est rouge, d'un rouge carmin. Cette couleur n'est pas un fond : elle est visiblement l'air du tableau. Les divers éléments du sujet sont plongés dans ce rouge comme ils seraient plongés dans l'air de la réalité, si l'on y prêtait attention. Tout est rouge : les murs, la table ne sont eux-mêmes que du rouge orienté par la position des grands ramages bleus. Tout est rouge, à part, dans l'angle gauche, la vue que découvre une fenêtre.

Le rôle des ramages est contradictoire : leur exubérance envahissante invite à ne voir là qu'un espace imaginaire ; leurs directions indiquent un espace réel. A première vue décoratifs, ces ramages suggèrent, à seconde vue, un double jeu d'une importance capitale et très subtile.

La végétation factice de ces ramages bleus répond à la végétation que l'on aperçoit par la fenêtre, mais leur ressemblance, au lieu de renvoyer au réel, renvoie à la ligne — une ligne qui tend la surface, la rassemble et y entretient une intensité en tous points égale. Cette ligne est l'arabesque, dont Matisse devait dire plus tard : « C'est le moyen le plus synthétique... Elle traduit avec un signe l'ensemble des choses, elle ne fait qu'une phrase de toutes les phrases. »

Matisse a cherché une maîtrise capable de s'effacer derrière elle-même. Il est l'un des plus grands dessinateurs de tous les temps, et il a travaillé à faire disparaître le dessin de la peinture ; cependant, vouloir la couleur seule ne l'a pas empêché de pousser toujours plus loin le dessin. Il disait : « le dessin procède de l'esprit » ; il disait qu'il s'agit « de conduire la couleur par les sentiers de l'esprit » ; il disait s'être « engagé dans une certaine couleur des idées » et qu'il voulait « inscrire... un espace spirituel ».

Les mots « espace spirituel » sont une autre façon de désigner l'espace plastique dont l'une des premières apparitions se trouve dans *la Desserte rouge* de 1908. Joint au mot « espace », ici très concret, le mot « spirituel » ne saurait prêter à confusion : l'espace spirituel, ou plastique, est un espace expressif, c'est-à-dire un espace imprégné des qualités de l'esprit, tout comme l'espace mental. Un tel espace n'est pas lisible, car son effet n'est lié ni à son parcours ni à son déchiffrement, mais à sa visibilité. Plus précisément, la visibilité de cet espace est en soi agissante par la faculté qu'elle a de s'unir à la vue du spectateur, de la délier de son cloisonnement et de l'entraîner dans son sens.

Dans ses « Notes d'un peintre sur son dessin » (1939), Henri Matisse écrit : « ... mes dessins définitifs au trait ont toujours leur espace lumineux et les

La Desserte rouge
1908-1909

objets qui les constituent sont à leurs différents plans ; donc en perspective, *mais en perspective de sentiment...* » Cette « perspective de sentiment », qui ne doit rien à l'ancienne perspective visuelle, est une impression à la fois ressentie et vue ; en elle, se résout la contradiction entre espace intérieur et espace extérieur puisqu'elle unit spatialement le sujet, qui est l'occasion du « sentiment », et ce « sentiment » même. Matisse précise que, pour lui, le dessin est « un moyen d'expression de sentiments intimes et de descriptions d'état d'âme » — précision qui signifie bien que le dessin, en apparence simple saisie du sujet, est en réalité projection du sentiment intime à l'aide du sujet. Un peu plus loin, après avoir fait des réserves sur les mots « état d'âme », qu'il n'aime pas, Matisse explique que « l'intérêt émotif » que ses modèles lui inspirent « ne se voit pas spécialement sur la représentation de leurs corps, mais souvent par des lignes ou des valeurs spéciales qui sont répandues sur toute la toile ou sur le papier et en forment son orchestration, son architecture. Mais tout le monde ne s'en aperçoit pas. C'est peut-être de la volupté sublimée... ».

L'orchestration, l'architecture, la volupté sublimée qualifient la manière et le contenu de l'espace expressif. Le choix de ces mots est frappant dans la mesure où aucun ne s'adresse à la vue — preuve que l'espace plastique, que Matisse recherche, ne sollicite le regard que pour émouvoir le « sentiment ».

Matisse épure son art pour exprimer le plus nettement possible son intimité. Il dit à Aragon : « Ne vous y trompez pas : je ne veux pas dire que, voyant l'arbre par ma fenêtre, je travaille pour le copier. L'arbre, c'est aussi tout un ensemble d'effets qu'il fait sur moi. Il n'est pas question de dessiner un arbre que je vois. »

S'il n'est pas question de dessiner l'arbre-que-je-vois, c'est évidemment qu'il faut dessiner l'arbre-que-je-sens. Mais en quoi sont-ils différents ? Le premier est situé dans l'espace visuel ; le second dans l'espace expressif, qui inclut ce-que-je-vois dans ce-que-je-sens. Cette inclusion, par le senti, de l'extérieur dans l'intérieur, et réciproquement, est aussi le chemin

Paysage à Collioure
1905

Paysage des environs de Toulouse
1898-1899

qu'utilise le peintre pour confier au visible ce qui ne l'est pas. Le sentir a toujours pour support un sujet visible, et donc représentable, mais il se déploie dans un « intérieur » invisible. D'où la présence indispensable dans toute l'œuvre de Matisse d'un sujet figuratif indispensablement placé dans un espace abstrait. Cette conjonction de la figure immédiatement reconnaissable et de l'espace abstrait est la caractéristique fondamentale de l'art de Matisse, et la raison pour laquelle sa difficulté demeure secrète, car l'abstrait y est déguisé en nulle part, en citation picturale ou en « que ça ».

Le passage de l'espace traditionnel perspectif à l'espace plastique abstrait est lié au surgissement de la couleur pure dans les années 1898-1900. Peut-être la couleur pure est-elle l'abstraction par excellence, elle qui a pour prétexte la représentation et pour raison véritable un plaisir, une intensité qu'on ne saurait représenter. Cette contradiction va manœuvrer toute la libération colorée, qui culmine en 1905 avec l'apparition des fauves ; mais les fauves, sauf Matisse, vont rapidement retomber dans le prétexte pour avoir confondu l'intensité et la surenchère.

Le choix de la couleur pure oriente Matisse vers lui-même. C'est le moment où l'individu croise l'histoire. Moment mystérieux où un homme entre dans le sens de son temps et, par une précipitation dont la nature reste inconnue, se trouve à la fois révélateur et révélé. Il fallait, après les impressionnistes et Toulouse-Lautrec, après Van Gogh et Gauguin, que la couleur en arrive à jouer le rôle que justement lui attribue Matisse ; mais cette nécessité ne vient pas que de ces prédécesseurs immédiats : on en perçoit l'annonce dans les zones de couleur pure que risque parfois Ingres ; dans les fonds non léchés de David ; dans les délires colorés de Delacroix et de Girodet ; dans le sublime de John Martin ou les paysages de pure couleur de Caspar David Friedrich, comme *le Moine au bord de la mer* ou *la Grande Réserve*. Sans parler de Turner qui, lui, devance le mouvement de l'histoire.

Notre-Dame en fin d'après-midi
1902

Matisse parle souvent de la couleur. Chaque fois, il le fait au nom de sa pratique, au nom du « senti », et pas d'une conception théorique. Il dit, par exemple : « les couleurs... ont en elles-mêmes, indépendamment des objets qu'elles servent à exprimer, une action importante sur le sentiment de celui qui les regarde. » Il explique plus circonstanciellement : « ... le fauvisme est venu du fait que nous nous placions tout à fait loin des couleurs d'imitation, et qu'avec les couleurs pures nous obtenions des réactions plus fortes, des réactions simultanées plus évidentes ; et il y avait aussi la luminosité des couleurs. »

La « luminosité » apparaît dès 1898 dans *Paysage des environs de Toulouse*, et la « réaction forte » dès 1902 dans *Notre-Dame en fin d'après-midi*, où tout l'espace est éclairé et structuré par de larges surfaces de couleur, qui ne sont pas du tout « d'imitation ». Un pas décisif est franchi en 1904. Cet été-là, Matisse rejoint Signac à Saint-Tropez. Signac, qu'une grande amitié avait lié à Seurat, était le théoricien du divisionnisme. Matisse expérimente ses principes et, de retour à Paris, les met en œuvre dans une grande composition : *Luxe, Calme et Volupté*, qui est très remarquée au Salon des indépendants de 1905. Cette peinture est systématique et plutôt contrainte, mais la pratique appliquée de la petite touche rectangulaire patiemment juxtaposée sur toute la surface épuise, chez Matisse, les tentations théoriciennes, tandis que la « luminosité » le libère des cadrages académiques. Matisse dépasse la tradition puis le modernisme parce qu'il les utilise expérimentalement au lieu de s'appuyer sur leurs certitudes dogmatiques.

L'été suivant, à Collioure où il s'est rendu avec Derain et où il se lie d'une grande amitié avec Maillol, Matisse s'est déjà débarrassé du Meccano divisionniste, non sans en avoir tiré la leçon : au lieu de carreler ou de pointiller la surface, il la parcourt de touches larges et franches, qui dessinent directement les formes, tout en demeurant, chacune, des unités visuelles. Les touches s'allongent parfois et deviennent des traits, ou bien elles s'élargissent et colorient une zone, mais c'est toujours de la couleur pure qui est étendue, étirée, écrasée : des verts émeraude, des vermillons, des bleus de cobalt, dont la violence et la crudité se métamorphosent en vive fraîcheur par l'interposition de couleurs plus claires, également pures : des mauves, des jaunes, des roses.

A Collioure également, Matisse découvre la luminosité du noir. Raoul Dufy a raconté la circonstance à Raymond Escholier, premier biographe de Matisse : « Cela ne chantait pas à son gré. Il ne pouvait s'élever jusqu'à l'éclat surprenant de la lumière méditerranéenne, quand soudain, rompant avec toutes les théories impressionnistes, il prit un tube de noir et cerna énergiquement le cadre de la fenêtre. C'est ainsi qu'avec du noir, Matisse fit, ce jour-là, de la lumière. »

Et c'est toute la suite des chefs-d'œuvre qui font de Matisse la figure centrale du fauvisme : *la Fenêtre*, 1905 ; *Paysage à Collioure*, 1905 ; *la Sieste*, 1905 ; *la Femme au chapeau*, 1905 ; *Portrait à la raie verte*, 1905 ; *le Bonheur de vivre*, 1905-1906 ; *Marguerite lisant*, 1906 ; *Marguerite*, 1907 ; *le Jeune Marin II*, 1907 ; *l'Enfant au filet à papillon*, 1907 ; *la Coiffure*, 1907 ; *les Joueurs de boule*, 1907 ; *la Berge*, 1907 ; *l'Algérienne*, 1909 ; *la Dame en vert*, 1909 ; *Fillette au chat noir*, 1910.

Le fauvisme n'est pas une école, c'est une rencontre. Au Salon d'automne de 1905, les œuvres de Matisse, Camoin, Derain, Friesz, Manguin, Marquet, Puy, Rouault, Valtat, Vlaminck sont accrochées dans la salle 7, la « cage centrale ». Cet accrochage collectif souligne l'emploi particulier que ces peintres font de la couleur pure, et l'effet s'en trouve multiplié. Un critique, Louis Vauxcelles, outré par cette pureté, parle d'une sculpture de style florentin dressée dans cette salle 7, en disant qu'elle est comme un « Donatello au milieu des fauves ». On ne retient que ce dernier mot et il fait fortune, devenant l'étiquette d'une école qu'il révèle à elle-même, le groupe des fauves n'ayant jusque-là que des liens d'amitié.

Matisse est fauve parce qu'il est Matisse, et non parce qu'il se range à un parti pris. Le fauvisme est une anecdote dans sa vie, mais le tapage qu'il suscite conforte une réputation en train de s'établir. Matisse a fait sa première exposition personnelle chez Vollard, en 1904 ; des collectionneurs

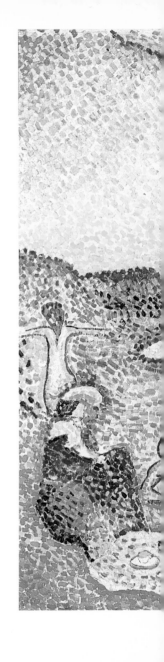

Luxe, calme et volupté
1904

La Joie de vivre
1906

Portrait à la raie verte
1905

Le Jeune Marin II
1907

Marguerite lisant
1906

L'Algérienne
1909

suivent son travail et commencent à l'acheter, notamment, à partir de 1905, Leo Stein, le frère de Gertrude. Matisse dispose alors du temps et des moyens de se lancer dans de grandes compositions : *la Desserte rouge*, 1908 ; *le Luxe I*, 1907 ; *le Luxe II*, 1907-1908 et — commandées par le marchand moscovite Chtchoukine — *la Danse* et *la Musique*, 1910. La conception de la couleur est ici la même que dans la série des tableaux énumérés plus haut, mais avec une importance grandissante du cerne et de l'aplat, qui traduit la volonté de simplifier. Matisse déclare à Estienne : « Nous allons à la sérénité par la simplification des idées et de la plastique. L'ensemble est notre seul idéal... »

L'« ensemble » désigne bien sûr « l'uni », qui réalise la synthèse du visuel et du senti. Dans *la Danse* et dans *la Musique*, la simplification est portée à l'extrême : trois couleurs et cinq figures. Jamais encore Matisse n'a été aussi concis : d'une concision dont la réussite — et la difficulté masquée — est de n'être pas symbolique, mais purement expressive. Trois couleurs, dit Matisse, « un beau bleu pour le ciel, le plus beau des bleus (la surface étant colorée à saturation, c'est-à-dire jusqu'au point où le bleu, l'idée du bleu absolu, apparaissait entièrement), le vert de la colline et le vermillon vibrant des corps. J'avais avec ces trois couleurs mon accord lumineux, et aussi la pureté dans la teinte. Signe particulier, la forme se modifiait selon la réaction des voisinages colorés. Car l'expression vient de la surface colorée que le spectateur saisit en son entier ».

La dernière phrase résume le projet de Matisse : parvenir à une « expression » qui soit unitairement produite par l'« entier ». Cette démarche suppose de conceptualiser le « sentiment » afin d'inclure sa « perspective » dans une composition capable d'émouvoir le spectateur par un effet d'« ensemble », qui unifie les diverses parties de la toile en même temps que le regard porté sur elle. Il ne s'agit pas d'unité de la composition, au sens classique, mais du pouvoir confié à cette composition d'unifier le regard et l'œuvre. La différence entre « perspective de sentiment » et perspective traditionnelle apparaît ainsi plus clairement : la perspective introduit dans la vue une organisation abstraite, qui la conceptualise insensible-

Le Luxe I
1907

ment et nous fait confondre réalité et pensée de la réalité ; la « perspective de sentiment » agit au contraire : elle ne fausse pas la vue par un semblant de réalisme, mais lui restitue sa vivacité d'espace de l'émotion. Et cet espace est conçu comme nécessairement communicatif. L'emploi de la couleur pure a permis aux peintres de libérer cet espace en le libérant du ton local pseudo-réaliste au profit du ton expressif, mais ce ton expressif, débarrassé de toute référence et qui est en somme du regard pur, n'offre aucune prise à qui ne sait voir que le déjà vu.

Dans le texte le plus important qu'il ait publié, « Notes d'un peintre », paru dans le numéro du 25 décembre 1908 de *la Grande Revue*, Matisse précise : « Ce que je poursuis par-dessus tout, c'est l'expression... L'expression, pour moi, ne réside pas dans la passion qui éclatera sur un visage ou qui s'affirmera par un mouvement violent. Elle est dans toute la disposition du tableau : la place qu'occupent les corps, les vides qui sont autour d'eux, les proportions, tout cela y a sa part. La composition est l'art d'arranger de manière décorative les divers éléments dont le peintre dispose pour exprimer ses sentiments. Dans un tableau, chaque partie sera visible et viendra jouer le rôle qui lui revient, principal ou secondaire. Tout ce qui n'a pas d'utilité dans le tableau est, par là même, nuisible. Une œuvre comporte une harmonie d'ensemble : tout détail superflu prendrait, dans l'esprit du spectateur, la place d'un autre détail essentiel... »

Dans ce passage, Matisse rejette la passion éclatante et les mouvements violents, qui donnaient de l'expression aux tableaux classiques et romantiques et qui, par l'outrance, sont devenus les caractères de l'expressionnisme. Impossible, par conséquent, de reprendre ce dernier mot pour l'appliquer à Matisse, alors que tout son art le réclame. Impossible également de définir exactement ce qu'est « l'expression » que Matisse « poursuit par-dessus tout ». Elle est un effet d'ensemble du tableau : un effet visuel et cependant invisible, car il est perçu par « sentiment ». Ainsi, bien que « chaque partie » soit « visible », le peintre compose un « ensemble », qui est l'« expression » et qui, tout en ayant pour seul moyen le visuel, n'atteint sa plénitude que dans une intimité où la chair même des yeux est pénétrée.

Cette chair-là — chair aérienne et chair mentale —, Matisse n'en dit rien directement, mais il affirme, toujours dans ses « Notes » : « Je veux arriver à cet état de condensation des sensations qui font le tableau. Je pourrais me contenter d'une œuvre de premier jet, mais elle me lasserait de suite, et je préfère la retoucher pour pouvoir la reconnaître plus tard comme une représentation de mon esprit... »

Toute « expression » réussie est donc chargée de « cet état de condensation des sensations », mais Matisse ne la reconnaît comme telle que s'il y trouve « une représentation de [son] esprit ». Autrement dit, toute « expression » est un passage qui donne du côté de sa création sur une expérience intérieure, et, de l'autre côté, sur le déclenchement d'une expérience semblable. L'ambiguïté de « l'expression » est que, lancée et portée par la vue, elle utilise le visuel comme un moyen et non comme une fin. Avec le temps et le travail, il deviendra de plus en plus net que « l'expression », en tant justement que passage, fait communiquer et se confondre l'espace de l'intériorité et celui de l'extériorité à travers l'espace de l'œuvre.

On ne peut réduire une expression visuelle en une expression écrite parce que la première est immédiatement synthétique, tandis que l'autre ne l'est qu'en devenir. Dans l'expression visuelle, tout a été rassemblé, condensé ; dans l'expression écrite, tout est en train de l'être, mais sans arrêt. Le contenu expressif de *la Danse*, comment l'écrire ? Si l'on reprend la suite des grandes compositions de Matisse, depuis *Luxe, Calme et Volupté* jusqu'à *la Danse* et *la Musique*, voici un titre qui pourrait être la clé de l'ensemble : *le Bonheur de vivre*.

Que dit-on en disant « le bonheur de vivre » ? Rien si l'on s'en tient aux quatre mots ; tout si l'on entre dans ce qu'ils expriment.

Toujours dans les « Notes d'un peintre », Matisse écrit : « Ce que je rêve c'est un art d'équilibre, de pureté, de tranquillité, sans sujet inquiétant ou préoccupant, qui soit, pour tout travailleur cérébral, pour l'homme

En haut :
la Musique
1910

En bas :
la Danse
1910

Etude préparatoire pour « la Musique »
1907

Vue de la fenêtre
1912

Porte-fenêtre à Collioure
1914

d'affaires aussi bien que pour l'artiste des lettres, par exemple, un lénifiant, un calmant cérébral, quelque chose d'analogue à un bon fauteuil qui le délasse de ses fatigues physiques. »

Matisse s'en tiendra là, toujours, s'en tiendra au beau, au calme, au voluptueux, au parfait, quitte à s'entendre dire : « Matisse, ce n'est que ça ! » Ses tableaux peuvent être regardés avec « bonheur » parce qu'ils entraînent le regard dans un plaisir qui ne suscite pas d'interrogation : tout y paraît facilement fait. Le comble de l'art, une fois au moins dans l'histoire, aura été cette facilité apparente, qui n'appelle aucune médiation parce qu'elle semble ne rien cacher. Dès qu'on étudie Matisse, on devine la longue réflexion, le travail ; dès qu'on le regarde, on les oublie. Et l'étude confirme que Matisse a voulu cet oubli libérateur.

Pour obtenir cet oubli, il fallait être capable de résoudre les problèmes en même temps que de les effacer dans leur solution ; mais cela va de pair avec la volonté de faire de la peinture un « calmant cérébral », tout en la créant dans un effort de pensée et de « sentiment ». L'expérience intérieure n'est pas nécessairement dramatique, et pourquoi le « bonheur de vivre » ne serait-il pas la forme socialisée de l'extase ? Toutes les sociétés courent après ce bonheur, Matisse en a peint plus que la représentation : le lieu même. Un lieu dont le luxe est en nous, et non dans quelque paradis ou quelque lendemain, comme il était en lui — et aussi hors de lui — dès qu'*exprimé* par le travail. « Il s'agit, écrit-il, de canaliser l'esprit du specta-teur de manière à ce qu'il s'appuie sur le tableau mais puisse penser à toute autre chose qu'à l'objet particulier que nous avons voulu peindre : le retenir sans le tenir, le conduire à éprouver la qualité du sentiment exprimé. »

Les années 1911 à 1917 sont occupées par la volonté de rationaliser la simplification, puis de métamorphoser la raison en « sérénité ». Le peintre, chez Matisse, s'était libéré par la couleur pure, le dessinateur se libère par la linéarité, qui confère à la ligne le pouvoir d'être à la fois dans les signes et dans les figures, dans l'espace et dans la forme.

Notre-Dame
1914

Le premier tableau où s'accomplit parfaitement ce travail est *la Conversation*, 1911. Dans un espace bleu se découpent, à droite, une femme en noir avec un col vert, au centre, une fenêtre, à gauche, un homme debout. La femme est assise sur un fauteuil, bleu comme l'espace bleu où quelques traits l'incisent. La fenêtre est une ouverture sans la moindre indication de vitre ou de montant ; l'appui en fer forgé constitue un dessin très noir, très présent. Dans l'ouverture s'étagent, sur une pelouse verte, un arbre, trois massifs bleus avec des fleurs rouges et, tout en haut, une fenêtre aux vitres bleues. L'homme debout porte une veste et un pantalon rayés (pyjama ?), qui accentuent sa verticalité. La barbe fait penser à un autoportrait. L'homme et la femme, de profil pour nous, sont face à face, l'ouverture entre eux.

Le plan de la conversation est complètement dressé : il ne fait qu'un avec le profil des personnages ; le plan de l'ouverture, bien que sans perspective, a une lumière spacieuse. Nous voyons l'œil droit de l'homme et l'œil gauche de la femme. Ces yeux sont tournés l'un vers l'autre ; ils pourraient être les extrémités d'une ligne — ligne invisible comme est muette la conversation peinte. La ligne des yeux serait le côté d'un triangle dont le corps entier de l'homme formerait la base ; l'autre côté passerait par la main droite de la femme pour aboutir au bas de l'homme. Ce triangle de la conversation pourrait être analysé à partir des positions relatives des diverses parties du corps. Le décolleté de la femme est un triangle inclus dans le triangle de son col vert ; les trois taches claires du visage et des mains délimitent également un triangle...

Le regard des personnages est dans le tableau, mais ce tableau est plat, absolument plat, d'une platitude que le regard du spectateur affronte avec surprise, puis constate avec angoisse. Il y a bien le plan de l'ouverture, qui, perpendiculaire à celui de la conversation, va dans le sens du regard du spectateur, mais il ne s'ouvre pas davantage. Tout est là, rien que là, et ce tout est une image peinte. Voici la première représentation du « que ça », et c'est un regard mis à plat — seulement, même aplati, le regard possède un sens qui, si j'ose dire, le regonfle et fait signe. Alors paraît un horizon qui, dans le « que ça » de chaque élément, est le véritable contenu de cet élément, et on s'aperçoit que la peinture est ainsi un passage à travers lequel on ne passe pas, sauf à passer à travers soi-même : ce qu'est justement en train de faire Matisse, et qui n'est pas une simple image !

Cette année 1911, Henri Matisse peint *les Poissons rouges, la Fenêtre bleue, le Grand Intérieur aux aubergines* ; *l'Atelier rose* et *l'Atelier rouge*. Chacun de ces chefs-d'œuvre restitue différemment l'espace de la vue, soit qu'il en structure la limpidité, mais en la laissant libre de baigner toutes choses *(la Fenêtre bleue)*, soit qu'il enferme ce dehors dans un dedans et organise concentriquement le monde autour *(les Poissons rouges)*. Dans les trois grands tableaux d'intérieurs, le plus frappant est leur manière de citer plusieurs espaces en un seul — de les unir en peignant d'autres tableaux dans le tableau, en ouvrant une fenêtre ou un miroir. Les tableaux cités sont toujours de Matisse : ils sont le passé du tableau présent ; ils sont également l'ouverture sur tous les espaces, qui font partie du même espace que lui. Les tableaux ouvrent de fausses fenêtres, qui ne donnent que sur la vue du peintre ; mais les vraies fenêtres n'ouvrent que de faux tableaux, qui donnent pareillement sur la vue du peintre. Quant aux miroirs, ils mettent dans la vue ce qui reste en dehors, et ils permettent au peintre d'entrer dans son tableau.

« Un artiste, dit Matisse, doit se rendre compte, quand il raisonne, que son tableau est factice, mais quand il peint, il doit avoir ce sentiment qu'il a copié la nature. Et même quand il s'en est écarté, il doit lui rester cette conviction que ce n'a été que pour la rendre plus complètement. » En somme, la peinture n'est que de la peinture, mais le peintre, comme l'ancien artisan d'icônes, ne crée pas « que ça », car l'image, si elle est vraie, a un pouvoir de transmission, de communication.

Le soin de ménager des passages dans la vue entraîne Matisse à l'architecturer, à lui faire violence par la triangulation brutale des surfaces, mais il s'ensuit une intense coulée d'harmonie : *Marguerite, tête rose et blanche*, 1914 ; *Vue de Notre-Dame*, 1914. La composition du tableau

La Conversation
1911

semble calquée sur celle de la réalité dans la *Porte-Fenêtre à Collioure*, 1914, où de larges plans verticaux encadrent une ouverture noire. Ce noir pur, qui est la lumière, intervient dans trois autres tableaux très importants : *les Coloquintes*, 1915-1916, *les Marocains*, 1916, et *les Demoiselles à la rivière*, 1916. Matisse semble avoir oublié le premier emploi de ce noir — et celui que signale Dufy — quand il déclare à propos des *Coloquintes* : « C'est dans ce tableau que j'ai commencé d'utiliser le noir pur comme une couleur de lumière et non comme une couleur d'obscurité. » Mais il assure aussi bien à Tériade : « Mon tableau *les Marocains*... représente le début de mon expression par la couleur, par les noirs et leurs contrastes. » Ce rôle imparti au noir est rejoué dans *Lorette sur fond noir*, 1916, et dans *le Peintre et son modèle*, 1917.

Là, un peintre est au centre, assis sur une chaise. Il n'a pas de visage, étant de biais. On voit sa joue gauche et sa nuque. Il regarde peut-être la toile qui est sur le chevalet, un peu à gauche, ou peut-être le modèle, à droite, assise sur un fauteuil mauve et drapée dans une robe de chambre verte. A la droite du peintre, une fenêtre. Cette disposition fait que le modèle, le tableau, le peintre et la fenêtre occupent respectivement les quatre sommets d'un losange, qui perturbe la surface du tableau, tout comme la perturbe la bande verticale sombre qui devient surface sombre du parquet en s'opposant à la bande claire du parquet, qui devient surface claire du mur. Dans le clair, le chevalet et le profil du fauteuil ; dans le sombre, le peintre, mais le tableau reporte le sombre dans le clair... Trois têtes : deux vraies, celles du peintre et du modèle, une fictive, celle du tableau sur le chevalet, mais les trois sont également fictives puisque également peintes. Ou bien y aurait-il des degrés dans la représentation ? Et, par exemple, la mise en abîme du tableau dans le tableau serait-elle un renversement qui *réalise* du réel dans l'image et y crée de « l'icône », c'est-à-dire un lieu où se tient de la présence ? Le tableau, sur le chevalet, fait face à la fenêtre comme le monde mental fait face au monde réel... Les trois têtes délimitent un « milieu » du tableau, volume tendu où les doubles s'affrontent au-dessous du regard vide d'un grand miroir baroque de forme losangée...

L'Atelier rose
1911

Grand Intérieur aux aubergines
1911

La tension expressive produit une épaisseur dans la platitude, et l'œil s'avance dans la surface, plaisir très différent de celui qu'il prend à parcourir le parfait agencement des plans de *la Leçon de piano*, 1916, autre tableau capital de cette période. D'une part, un engagement sensuel dans « l'expression », de l'autre, un glissement heureux de surface en surface — et l'émerveillement que la vue puisse remettre le monde au beau.

En 1917, Matisse s'installe à Nice : « travail et joie », dira-t-il. C'est l'époque des odalisques, des intérieurs avec persiennes, des tapis, des divans, des drapés, des nus. L'arabesque devient le support secret, et souvent exclusif, du rouge, du bleu, du jaune citron, du noir, du vermillon, du mauve, du rose. Matisse célèbre la fête du visible : « Pour moi, écrit-il à Raymond Escholier, la nature est toujours présente. C'est comme pour l'amour, tout dépend de ce que l'artiste peut projeter inconsciemment sur tout ce qu'il regarde. C'est la qualité de cette projection qui donne la vie, bien plus que la présence, sous les yeux de l'artiste, d'une personne vivante. »

Le « bonheur de vivre » est un choix. C'est le ton de la mentalité. Matisse, par la couleur, a trouvé « l'expression ». La couleur est espace. La sienne n'est jamais séparée des figures, bien qu'elle ne soit pas « réaliste ». Une tenture, un visage, un bouquet sont là, *dans* la couleur, comme le « sentiment » est dans l'œil.

La difficulté du tableau est qu'il émet du sens, et qu'il n'en signifie pas pour autant avec précision ceci ou cela. Matisse, maintes fois, a dit que peindre, pour lui, c'était « mettre de l'ordre dans son cerveau » et qu'il cherchait à remplacer « les détails explicatifs par une synthèse vivante et suggestive ». L'expression qui suggère n'a pas la courte vie de l'expression qui explique : on n'en finit pas avec elle.

« La possession des moyens, dit Matisse, doit passer du conscient à l'inconscient, et c'est alors que l'on arrive à donner cette impression de spontanéité. » On peut avoir cette phrase en tête devant *l'Odalisque à la*

La Leçon de piano
1916

Le Violoniste à la fenêtre
1917-1918

Le Peintre et son modèle
1917

culotte rouge, 1921, ou la *Figure décorative sur fond ornemental*, 1925-1926, mais à condition de ne pas oublier que la « spontanéité » de Matisse est la forme la plus discrète de la maîtrise.

Vers la fin des années 1920, une nouvelle période de recherches commence. Elle a pour points de départ décisifs un voyage et une commande. Le voyage conduit Matisse à Tahiti par New York, Los Angeles et San Francisco : « ce n'était que la lumière qui m'intéressait », en dira Matisse. Il s'agit, en effet, d'un voyage de « reconnaissance » dans la mesure où Matisse y vérifie qu'il existe des qualités — on pourrait dire des « crus » — de lumière, et qu'elles enrichissent son esprit. Matisse goûtera davantage la lumière « cristalline » de New York que celle, en « or », des tropiques, mais tout cela ne jouera un rôle dans son œuvre qu'une fois mémorisé, mentalisé.

La commande vient du docteur Barnes, un des collectionneurs américains de Matisse, qui désire une décoration de cinquante-deux mètres carrés pour la grande salle voûtée qu'il vient de faire construire afin d'abriter son musée personnel. Cette commande pose des problèmes compliqués à cause de la disposition de l'espace qu'elle doit occuper : trois lunettes semi-circulaires reliées par un long panneau horizontal, mais séparées par les retombées des arcs de la voûte.

Matisse va travailler près de trois ans (1931-1933) à une nouvelle *Danse*, dite *Danse* de Merion, d'après le nom de la localité où se trouve la résidence du docteur Barnes, aux Etats-Unis. Une première version ne peut être mise en place parce que les dimensions relevées étaient fausses ; elle se trouve à présent au musée d'Art moderne de la Ville de Paris. Dans la version de Paris, six personnages ; dans celle de Merion, huit. Le rythme est donné par le mouvement des corps, mais ce mouvement ne provient que de la calligraphie des contours, les couleurs étant traitées en aplats unis : gris clair pour les danseurs, noir, bleu et rose pour les bandes du fond.

Odalisque à la culotte rouge
1921

Odalisque aux magnolias
1924

Odalisque au fauteuil
1928

Nu assis
1930

Matisse n'a pas travaillé sur une maquette, mais à l'échelle réelle, en utilisant pour la première fois des papiers découpés qu'il pouvait fixer au mur et déplacer. Pour lui, qui pensait que « la composition... se modifie avec la surface à couvrir », il n'était pas question d'exécuter un modèle réduit, qui serait ensuite agrandi. Ce choix est très significatif, car il prouve que, pour Matisse, il y a un lien inséparable entre la conception de l'œuvre et la dimension de l'espace qu'elle occupe — un lien entre la qualité du souffle créateur et la quantité qu'il animera. L'espace ne peut devenir expressif que si l'on respecte ces proportions. Matisse dit encore : « ... pour que ça soit vivant au niveau des relations, il faut que toutes les quantités soient éprouvées. »

Jamais encore Matisse n'a pareillement simplifié sa ligne, jusqu'à en faire la ligne de la couleur et non du dessin. Dans les tableaux des années suivantes, cette simultanéité de la ligne et de la couleur entraîne une simplification nouvelle des figures, et le passage de la forme au signe. Le paradoxe, maintenant, est que le signe tende naturellement à l'abstraction et que, chez Matisse, il concrétise au contraire une présence.

On peut constituer le répertoire des signes d'un artiste, mais chaque signe n'étant significatif qu'à l'intérieur d'une œuvre particulière, ce répertoire ne pourra même pas servir d'alphabet. Impossible de transporter la signification d'un tableau hors de lui-même : l'emploi d'un même signe dans un nouveau tableau fait de lui un signe nouveau. Matisse a travaillé toute sa vie avec ce qu'Aragon appelle « une palette d'objets » : vases, compotiers, fauteuils, etc. Repérer ces objets, les identifier, les suivre n'explique rien, sinon la persistance d'un intérêt. Le désir d'assigner à chaque objet une signification articulable reste vain. Il faut regarder et puis sentir et puis...

Regardez le *Nu rose*, 1935 ; *le Rêve*, 1935 ; *la Robe persane*, 1937 ; *la Blouse roumaine,* 1940 ; *la Nature morte au magnolia*, 1941. On sait que Matisse a travaillé neuf et six mois à ces deux dernières peintures. On le sait parce qu'il a voulu qu'on sache à quel prix fut son « que ça ». Un fond

Le Rêve
1935

Femme à la blouse, rêvant
1936

La Blouse roumaine
1940

rouge, une jupe bleue, une blouse blanche avec des motifs répétés... S'il s'agissait d'un tableau « abstrait », le spectateur y verrait une harmonie et ne s'en trouverait pas dérangé, mais une figure simplifiée à ce point ? On oublie toujours que s'exprimer, c'est abstraire afin de condenser du sens. L'expression plastique, selon Matisse, conjuge la conception et le sentiment ; il dit : « Je travaille de sentiment. J'ai ma conception dans ma tête, et je veux la réaliser. Je peux, très souvent, la reconcevoir... Mais je sais où je veux en arriver... »

Imaginons le « sentiment » du peintre comme un espace dans lequel il tâtonne. Et la tête du peintre, au milieu de cet espace, comme un cadran fermement fixé sur le Nord de sa conception. Tout cela va de l'avant : le sentiment qui cherche et la tête qui guide, qui retient, qui relance... Puis, un jour, la surface du cadran et l'espace du sentiment — ou bien la surface de la toile et le volume de la tête — se trouvent confondus, identiques, et paraît le mot FIN.

La *Blouse roumaine* est devenue exemplaire de ce long travail à cause de la confidence de Matisse (neuf mois de labeur), attestée par la série de photos des états successifs, pris avant que ne les recouvre la version suivante. Les commentaires critiques de ce spectacle parlent de la difficile conquête de la simplicité ! Façon critique de ne dire « que ça » !

L'évidence est riche de son effet immédiat. C'est un « ensemble » que l'on ne détaille pas sans le perdre. Quelle est donc la relation des mots de Matisse : « sentiment » et « conception » ? Il s'agit d'exprimer une chose que l'on a conçue, mais la peinture n'étant pas conceptuelle, il faut travailler « de sentiment ». Et par le sentiment réaliser la conception. La rendre sensible, puis intelligible.

Matisse réalise sa conception en travaillant avec un modèle. Il efface le travail, mais pas le modèle. Ainsi le modèle devient la figure de son expression : il fait signe. Doublement signe, car il est à la fois lié au sentiment et à la conception, comme il l'est à la personne qui pose et au peintre qui regarde, pensivement. L'expression plastique est la concrétisation sur une figure et dans un espace de cette liaison.

La présence continuelle de l'objet ou du modèle est une manière d'affirmer leur nécessité. L'ambiguïté — mais c'est aussi un risque volontairement couru — d'un tableau comme *la Blouse roumaine* vient de ce que la simplicité y renvoie également à l'anecdote et à « l'expression ». Mais Matisse s'appuie justement sur un modèle ou sur une « palette d'objets » pour se dégager de l'anecdotique. En 1942, il dit à Aragon : « Le modèle, pour les autres, c'est un renseignement. Moi, c'est quelque chose qui m'arrête... C'est le foyer de mon énergie. » Et une autre fois : « Comprenez-moi bien, ce que je peins, ce sont des objets pensés avec des moyens plastiques : si je ferme les yeux, je revois les objets mieux que les yeux ouverts, privés de leurs petits accidents, c'est cela que je peins. »

En 1908, déjà, Sarah Stein, qui note les propos de Matisse, retient celui-ci : « Devant le sujet, vous devez oublier toutes vos théories, vos idées. La part de celles-ci qui vous revient réellement ressortira dans l'expression de l'émotion éveillée en vous par le sujet. »
En 1909, Matisse dit à Estienne : « J'ai à peindre un corps de femme ; d'abord j'en réfléchis la forme en moi-même... Je vais condenser la signification de ce corps. »
En 1925, à Jacques Guenne : « ... le secret de mon art. Il consiste en une méditation d'après nature. »
En 1930, à Tériade : « Mon travail est le dédoublement de la vie de mon cerveau. » Puis, pour conclure : « La plupart des peintres ont besoin du contact direct avec des objets pour sentir qu'ils existent et ils ne peuvent les reproduire que sous leurs conditions strictement physiques. Ils cherchent une lumière extérieure pour voir clair en eux-mêmes. Tandis que l'artiste ou le poète possèdent une lumière intérieure qui transforme les objets pour en faire un monde nouveau, sensible, organisé, un monde vivant qui est en lui-même le signe infaillible de la divinité, de l'effet de la divinité. »
En 1935, dans *The Studio*, n° IX : « Un tableau est la coordination de rythmes contrôlés... Je décidai alors d'écarter tout souci de vraisemblance.

Liseuse sur fond noir
1939

Femme au divan
1920-1922

Le Rideau égyptien
1948

La Robe persane
1937

Copier un sujet ne m'intéressait pas... Quel était l'intérêt de copier un objet que la nature fournit en quantités illimitées et que l'on peut toujours concevoir plus beau. Ce qui est important, c'est la relation de l'objet à l'artiste, à sa personnalité, et la puissance qu'il détient d'organiser ses sensations et ses émotions. »

La continuité de la position de Matisse et sa cohérence étant établies, reste ce qu'Aragon appelle « un des grands mystères matissiens », et qui est que Matisse « ne puisse se passer d'un modèle d'une part, et que le modèle inspire d'autre part quelque chose de si libéré de lui ».

Aragon met brillamment en scène « la comédie du modèle », et il la joue à l'aide d'une série de photos de « la palette d'objets » (fauteuil rocaille, bergères Louis XV, pots, compotiers, opaline, verre taillé, bocal à bonbons, etc.) et d'une série de photos de Matisse au travail devant une jeune femme noire, son modèle. Cette comédie est très romanesque, mais le mystère y conserve son essence, qui est d'être mystérieux. La mise en scène des références n'est pas plus révélatrice que la nomenclature des signes.

La « comédie » n'est pas visible. C'est une comédie mentale : elle dure aussi longtemps que le peintre projette vers le modèle ce qui devient visible par la réflexion qu'il en donne sur le papier. Le modèle est le miroir de la pensée du peintre : un miroir actif, qui oblige le peintre à travailler son reflet jusqu'à ce qu'il se confonde avec l'image de l'objet qui le réfléchit. Ainsi la comédie de la surface et du reflet devient la comédie du double. Matisse dit en 1939 : « J'ai seulement conscience des forces que j'emploie, et je vais, poussé par une idée que je ne connais vraiment qu'au fur et à mesure qu'elle se développe par la marche du tableau. »

La pensée n'est pas l'idée, elle est le mouvement qui révèle des idées. Ce mouvement révélateur est également celui des relations du peintre avec son modèle. Deux propos de Matisse sont très significatifs à cet égard. Le premier, recueilli dans *Ecrits et Propos sur l'art*, a été confié à Tériade, en 1929 : « Mon but est de rendre mon émotion. Cet état d'âme est

Danseuse, fond noir, fauteuil rocaille
1942

créé par les objets qui m'entourent et qui réagissent en moi : depuis l'horizon jusqu'à moi-même, y compris moi-même. Car très souvent je me mets dans le tableau et j'ai conscience de ce qui existe derrière moi. J'exprime aussi naturellement l'espace et les objets qui y sont situés que si j'avais devant moi la mer et le ciel seulement... Ceci pour faire comprendre que l'unité réalisée dans mon tableau, aussi complexe qu'elle soit, ne m'est pas difficile à obtenir, car elle me vient naturellement. Je ne pense qu'à rendre mon émotion... »

Personne, je crois, n'avait encore exprimé le volume dans lequel se meut la pensée du peintre : volume vivement ressenti, par exemple, dans *l'Atelier rose* de 1911 ou dans *le Peintre et son modèle* de 1917. L'émotion, dit Matisse, est créée par ce qui m'entoure et qui réagit en moi. Dès lors, entre l'entourage et le mental du peintre s'établit une continuité qui les rend solidaires à l'intérieur d'un même espace : « depuis l'horizon jusqu'à moi-même, y compris moi-même », explique Matisse, qui précise : « je me mets dans le tableau et j'ai conscience de ce qui existe derrière moi. » Car se mettre dans le tableau est un acte qui se passe dans l'espace unifié de la vision mentale — vision qui, non seulement ne sépare pas le peintre de son environnement, mais le plonge dans une continuité dont ce qui est derrière lui fait partie autant que ce qui est devant, puisqu'il fait mentalement espace avec toutes les directions de l'espace. Et qu'il peut donc en représenter l'unité sur sa toile, cette toile n'étant pas le lieu de représentation de l'objet ou du modèle, mais de la vue du peintre, vue qui englobe le représentant et le représenté + la qualité mentale de leurs représentations + les sensations qui en découlent + l'unité généralisée qui s'ensuit, et qui, devenue communicative, fonde justement l'espace expressif.

L'autre propos capital de Matisse fut noté par lui en marge du manuscrit d'Aragon, qui le reproduit dans son *Henri Matisse, roman* (I, 208) : « Depuis déjà très longtemps, j'ai conscience de m'exprimer par la lumière ou bien dans la lumière, qui me semble comme un bloc de cristal dans lequel se passe quelque chose — ce n'est qu'après avoir joui longtemps de la lumière du soleil que j'ai essayé de m'exprimer par la lumière de l'esprit...

Hélène
1936

Le Silence habité des maisons
1947

Intérieur jaune et bleu
1946

Primavera
1938

Etant pris par la lumière je me suis souvent demandé, en même temps que je m'évadais en esprit du petit espace entourant mon motif, et dont la conscience d'un espace semblable a suffi il me semble aux peintres du passé, je m'évadais donc de l'espace qui se trouvait dans le fond du motif du tableau, pour sentir en esprit au-dessus de moi, au-dessus de tout motif, atelier, maison même, un espace cosmique dans lequel on ne sentait pas plus les murs que le poisson dans la mer... La peinture en devient aérée, même *aérienne*. Donc en même temps que s'étendait mon '' espace pictural '', je me demandais souvent en travaillant quelle devait être la qualité de la lumière des tropiques... Pour bien connaître notre lumière occidentale il fallait pouvoir l'estimer par comparaison. Déjà, en allant à Tahiti j'ai reconnu sur ma route la lumière cristalline de New York (ma première escale). Elle s'est ajoutée à celle du Pacifique. Les différentes lumières que j'ai goûtées m'ont rendu plus exigeant pour imaginer la lumière spirituelle dont je parle, née de toutes les lumières que j'ai absorbées. »

Ce propos complète l'autre à des années de distance (1929 à 1942), et les deux éclairent la constitution de « l'espace pictural » ou expressif : espace fait de la mentalité du peintre et de sa relation, à travers un sujet révélateur, avec l'univers ; espace aéré par la lumière et « matérialisé » par elle. On ne saurait rabattre ces propos vers un « spiritualisme », qui est à l'opposé du souci de Matisse de décrire, avec un langage banal, des sensations longuement éprouvées, longuement pensées, et pour l'expression desquelles il ne disposait pas d'un autre vocabulaire.

La note en marge d'Aragon peut introduire à ce qu'a conçu Matisse en construisant la chapelle de Vence. En 1952, parlant à Maria Luz de ses papiers découpés, Matisse lui dit incidemment : « De *la Joie de vivre* — j'avais trente-cinq ans — à ce découpage — j'en ai quatre-vingt-deux — je suis resté le même... parce que, tout ce temps, j'ai cherché les mêmes choses, que j'ai peut-être réalisées avec des moyens différents. Je n'ai pas eu d'autre ambition lorsque j'ai fait la chapelle. Dans un espace restreint, puisque la largeur est de cinq mètres, j'ai voulu inscrire, comme je l'avais fait jusqu'ici dans des tableaux de cinquante centimètres ou de un mètre,

Chasuble à fond vert
c. 1950

un espace spirituel, c'est-à-dire un espace aux dimensions que l'existence même des objets représentés ne limite pas. »

Matisse a tout conçu dans la chapelle, y compris les ornements liturgiques. L'intérieur est blanc, d'une blancheur que ne troublent pas les trois grands panneaux : saint Dominique, l'Ave, le chemin de croix, dessinés au trait noir sur fond de céramique blanche. Le volume intérieur est un espace entièrement offert à la lumière, qui vient des murs sud et ouest à travers quinze baies hautes et étroites et deux larges fenêtres. Les vitraux, qui garnissent ces ouvertures, offrent un décor de motifs végétaux accordant un jaune citron, un bleu outremer et un vert bouteille, couleurs dont la douce combinaison emplit l'espace d'une lumière violette.

Cette lumière, qui rend palpable l'espace et comme visible sa matière, fait de l'air intérieur un élément dans lequel on éprouve l'infini, car les limites du monument s'y diluent. Ainsi, pour une fois, voici « l'espace spirituel » tel qu'en lui-même le voyait Henri Matisse, car n'étant pas limité en ce lieu par une représentation, comme en exigeaient une tableaux et dessins, il n'est justement pas privé de son infini.

« Ma chapelle, écrit Matisse, est pour moi l'aboutissement de toute une vie de travail et la floraison d'un effort énorme, sincère et difficile. » Dans la lettre par laquelle il fait don de la chapelle à monseigneur Rémond, Matisse précise : « Cette œuvre m'a demandé quatre années de travail exclusif et assidu, et elle est le résultat de toute ma vie active. Je la considère comme mon chef-d'œuvre. » L'espace de la chapelle concrétise ce qui, dans la peinture, restait à l'état d'appel, de signe et d'illusion, tout en existant réellement par la pensée et en elle. Dans cet espace, « dedans » et « dehors » ne sont plus que le souvenir d'antiques murs dissous dans l'élément unique et sans limites où l'esprit se déplace comme « le poisson dans la mer ». Cette « mer » nouvelle, composée d'air et de lumière, est aussi bien le « calmant cérébral » recherché depuis 1908 que l'élixir mental du « bonheur de vivre ». Matisse déclare maintenant : « Je veux que les visiteurs de la chapelle éprouvent un allégement d'esprit, que, même sans

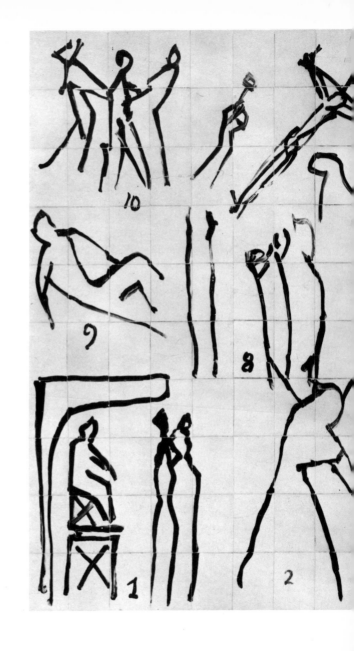

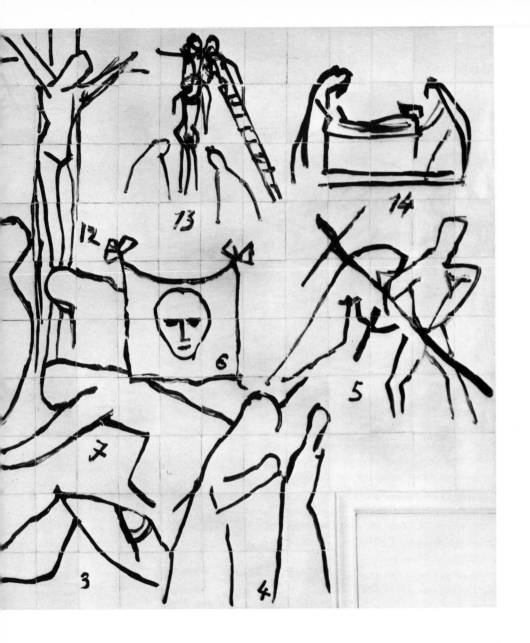

Chemin de croix
1949-1951

être croyants, ils se retrouvent dans un milieu où l'esprit s'élève, où la pensée s'éclaire, où le sentiment lui-même est allégé... »

Communiquer l'allégement — mais d'abord l'atteindre — a été la préoccupation majeure de Matisse : la chapelle de Vence est le monument de cette religion sans autre dieu que la lumière (« la lumière spirituelle... née de toutes les lumières que j'ai absorbées »). La relecture des *Ecrits et Propos sur l'art*, admirablement rassemblés par Dominique Fourcade, confirme cette interprétation — ou plutôt en fait la seule possible dès qu'on s'est pénétré du sens matissien des mots clés : « sentiment », « conception », « ensemble », « simplification », « espace », « lumière », « émotion »...

L'allégement, pour Matisse, fut lié à la pratique de la simplification : c'est en simplifiant qu'il a tiré la forme de l'isolement dans lequel la maintient le dessin traditionnel avec ses valeurs, ses ombres, ses modelés. L'intérieur de la forme est alors monté peu à peu vers la surface, et il s'y est aéré, mais cette montée avait déjà été obtenue, dans la peinture, par le passage de la couleur descriptive à la couleur expressive. La forme, habitée par l'espace dont elle était l'habitante, était devenue communicative.

La couleur pure, dans ses juxtapositions vibrantes, permettait presque d'oublier la limite qui sépare, mais le trait ? Le trait du dessin ne tranche-t-il pas à jamais l'intérieur de l'extérieur ? Avec sa ligne purement linéaire, Matisse réussit à faire quasiment disparaître cette coupure : il avait transformé le geste qui enclôt en geste qui déploie. Cependant, une insatisfaction subsistait, dirait-on, d'être le plus grand coloriste et le plus grand dessinateur et de n'avoir pas fondu l'un en l'autre.

Pour composer *la Danse* de Merion, Matisse s'est servi de papiers découpés lui permettant d'essayer ses formes à l'échelle réelle, mais il n'a pas immédiatement tiré parti de cette invention. La transition entre ce découpage utilitaire et une technique nouvelle, qui sera le découpage expressif, lui est fournie par la commande, venue de Tériade en 1942, d'un livre en couleurs dans le genre des couvertures réalisées pour la revue

Icare
1943

Verve. Matisse y travaille en 1943-1944, utilisant des feuilles gouachées dans lesquelles il découpe des motifs qu'il assemble. En 1944, il fixe le format des planches et le titre, *Jazz*. En 1946, il décide d'accompagner les planches de pages d'écriture, et il s'entraîne à calligraphier les notes, qui composeront son texte. Il explique dans la première de ces notes : « Cette fois j'ai à présenter des planches de couleur dans des conditions qui leur soient les plus favorables. Pour cela, je dois les séparer par des intervalles d'un caractère différent. J'ai jugé que l'écriture manuscrite convenait le mieux à cet usage. La dimension exceptionnelle de l'écriture me semble obligatoire pour être en rapport décoratif avec le caractère des planches de couleur... »

Publié le 30 septembre 1947, *Jazz* comporte vingt planches, dont quinze doubles pages. C'est l'œuvre fondamentale du nouveau moyen d'expression de Matisse : le découpage. La contradiction entre le dessin, qui cerne l'espace, et la couleur, qui le libère, est résolue : le contour se confond désormais avec la surface et la forme est directement taillée dans l'espace. Mais n'est-il pas significatif qu'au moment où le dessin disparaît la ligne soit rendue à l'écriture, et que Matisse voit dans un texte calligraphié l'accompagnement le plus adéquat de ces couleurs ?

Premier temps, Matisse prépare de l'espace : opération qui consiste à étaler de la gouache sur une feuille de papier blanc de manière à obtenir une surface unie, monochrome, mate et sans reflets, mais que les traces de pinceau rendent vivante et spacieuse. Deuxième temps : avec des ciseaux, Matisse découpe des formes dans l'espace de la feuille. Troisième temps : il assemble ces formes et en fait un montage qu'il colle dans un espace préparé.

Le 22 février 1948, Matisse écrit à Rouveyre : « Les murs de ma chambre sont pleins de découpages. » Pourtant, Matisse ne se consacre pas encore à sa nouvelle technique : les années 1946 à 1948 sont principalement consacrées à la peinture et à de nombreux dessins à l'encre de Chine ; ensuite, et jusqu'en 1951, c'est la chapelle qui requiert tout son temps.

Les Deux Négresses
1908

Grand Intérieur rouge
1948

Les dernières peintures sont parmi les plus belles : *l'Asie*, 1946 ; *le Silence habité des maisons*, 1947, et la série des « intérieurs » de Vence, dont *Intérieur jaune et bleu*, 1946, et *Grand Intérieur rouge*, 1948. L'espace, dans ces toiles, est synthétique ; il rassemble toutes les directions sur un seul plan, qui est aussi une couleur-lumière. Et celle-ci est un élément nouveau qui baigne également l'ensemble des choses visibles et les révèle, chacune en soi, en même temps qu'il les unit. Matisse écrit alors, toujours à Rouveyre, que la couleur des *Intérieurs* est « inventée entièrement d'après mon sentiment chauffé par la présence de la nature même », ce qui laisse entendre que la couleur y est la concrétion directe du croisement de la mentalité du peintre et de la réalité des choses.

Pendant qu'il travaille à la chapelle, Matisse exécute un très beau découpage, *Zulma*, 1950. L'année 1952 est la plus productive et la plus importante en papiers découpés avec les *Acrobates*, *Tristesse du roi*, *la Grenouille*, la série des *Nus bleus* et *la Chevelure*.

La couleur est de l'espace, elle est aussi de la lumière, qui est l'énergie de l'espace. Ce que Matisse appelle le « sentiment » est cette électricité de la relation, qui traverse les limites, qui pénètre et fait pénétrer. Alors, les formes se déclosent et leur contenu circule, c'est la présence. Quand Matisse saisit sa feuille gouachée, il tient dans ses mains un simple papier peint, mais sa vision et le désir d'expression qui s'ensuit changent aussitôt ce papier en une épaisseur — le changent en cet espace qu'il voit en lui et qui maintenant se propage, car il est partout, y compris sur ce dérisoire support dont il a besoin pour être visible. Et la main du peintre taille dans l'espace où sa pensée et son travail le plongent.

L'illimité n'est visible qu'à partir d'un objet limité, qui lui sert de révélateur. Mais le peintre, qui sait cela depuis toujours et qui a su jouer de tous les aspects de cet objet pour en faire le lieu de l'ouverture, n'en continue pas moins à rêver de faire voir l'ouvert sans cette limite. Ainsi passe-t-il peu à peu de l'objet au signe, car le signe est cette forme sans peau, mais non sans corps, qui peut se tenir en vous et hors de vous, et qui peut même

L'Asie
1946

La Chevelure
1952

être des deux côtés à la fois, puisqu'elle est représentable sans cesser pour autant d'être aérienne.

Quand donc Matisse prend son papier gouaché et découpe, c'est en lui-même qu'il taille cette forme qu'aucune ligne ne sépare plus de l'espace puisqu'elle est *en* espace. Escargot ou fleur, feuille ou nu bleu, tout ce que découpent les mains est reconnaissable, et cependant cette reconnaissance ne les rabat jamais dans la peau de telle ou telle chose, car leur forme a moins ici un bord qu'un délié, où son espace reste dans l'espace.

Matisse découpe : il manipule l'espace même, il taille des blocs de couleur-lumière, il effectue des prélèvements dans l'« uni » qu'est, à cet instant, son espace mental et l'espace du monde. L'assemblage qu'il fait ensuite de ses formes d'espace est quelque chose de jamais vu, même si, une fois fait, cela se rattache à l'art, à la peinture, à la représentation : c'est l'union enfin réalisée de la vue et de la vision, de la pensée et de la réalité.

« Les moyens les plus simples, avait dit autrefois Matisse, sont ceux qui permettent le mieux au peintre de s'exprimer. » Maintenant, il dit : « J'ai été amené à faire du papier découpé pour associer la couleur et le dessin, d'un même mouvement. » Et encore : « ... pour associer la ligne à la couleur, le contour à la surface. » Il précise : « Il n'y a pas de rupture entre mes anciens tableaux et mes découpages ; seulement, avec plus d'absolu, plus d'abstraction, j'ai atteint une forme décantée jusqu'à l'essentiel. »

Plus concrètement, un autre propos dit : « Découper à vif dans la couleur me rappelle la taille directe des sculpteurs. » Matisse, quand il travaillait la glaise, avait l'habitude de toucher son modèle : il s'efforçait de traduire ce toucher et non une ressemblance — toucher qui lui mettait le volume au bout des doigts : l'espace volumineux dont il voulait restituer le senti et le gonflement. Il est bouleversant de penser qu'à la fin de sa vie, Matisse retrouve une sensation qui lui permet d'accorder la vue et le toucher dans une plénitude que rend sensible cette confidence à André Verdet :

« Vous ne pouvez pas vous figurer à quel point, en cette période de

L'Escargot
1953

Henri Matisse à Vence
1944-1945

Tristesse du roi
1952

papiers découpés, la sensation du vol qui se dégage en moi m'aide à mieux ajuster ma main quand elle conduit le trajet de mes ciseaux. C'est assez difficilement explicable. Je dirai que c'est une sorte d'équivalence linéaire, graphique de la sensation du vol. Il y a aussi la question de l'espace *vibrant*... »

La sensation du vol qui se dégage en moi
m'aide à mieux ajuster
ma main...
c'est une sorte d'équivalence linéaire,
graphique
de la sensation du vol...
il y a aussi... l'espace vibrant...
Le peintre ne se projette plus.
Le peintre n'est plus le combinateur d'illusions :
il s'envole en lui-même et cet élan le porte
hors de soi.
Le monde est devenu sa tête, ou sa tête le monde.
Une même lumière. Un même air.

« En créant ces papiers découpés et colorés, il me semble que je vais avec bonheur au-devant de ce qui s'annonce. Jamais, je crois, je n'ai eu autant d'équilibre qu'en réalisant ces papiers découpés. Mais je sais que c'est bien plus tard qu'on se rendra compte combien ce que je fais aujourd'hui était en accord avec le futur. »

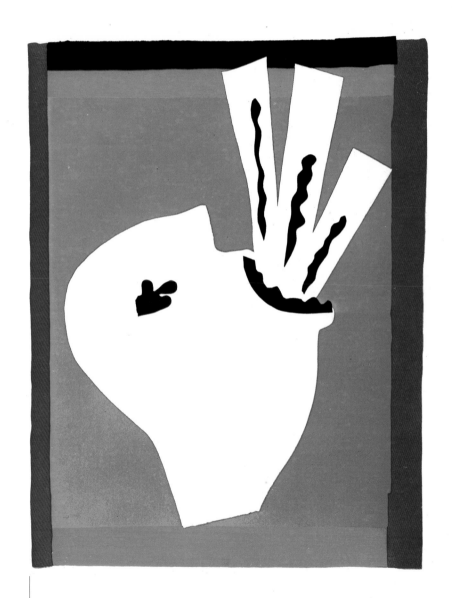

L'Avaleur de sabres
1943-1944

La Gerbe
1953

CHRONOLOGIE

1869
Henri Matisse naît au Cateau-Cambrésis (Nord) le 31 décembre, dans la maison de son grand-père. Ses parents habitent à Bohain-en-Vermandois, bourgade située entre Le Cateau et Saint-Quentin, où ils tiennent une sorte d'épicerie avec un rayon « couleurs ». « Tout ce que j'ai fait vient de mes parents, gens modestes et francs du collier », devait confier plus tard Matisse à Pierre Courthion.

1882-1887
Rien ne le destine à la peinture. « Fils d'un marchand de graines et devant succéder à mon père. » C'est seulement sa santé fragile qui le pousse vers des études classiques, qu'il effectue au lycée Henri-Martin à Saint-Quentin.

1887-1888
Après avoir suivi deux années de cours à la faculté de droit de Paris — il avait d'abord songé à faire pharmacie —, obtient sa capacité en droit et peut postuler à un emploi de clerc. Quitte Paris « sans avoir eu le désir de visiter aucun des grands musées, même pas le Salon annuel de la peinture ».

1889
Devient clerc à Saint-Quentin, chez maître Derriau. Parallèlement, suit les cours de dessin à l'école Quentin-de-La-Tour. « J'ai passé quelques années à l'étouffé, dira-t-il en 1947 à François Coupeaux, n'ayant d'autre désir que de peindre avant d'aller à l'étude vers neuf heures. (...) Après la journée d'étude (6 h du soir) je retournais au plus vite à ma chambre pour y peindre jusqu'à la nuit. »

1890
Reçoit de sa mère une boîte de peintures, alors qu'il est en convalescence après une grave pérityphlite. Copie les chromos pour se distraire.

1891
Malgré l'hostilité déclarée de son père, retourne à Paris et s'inscrit à l'académie Julian, dans l'atelier que dirigent William Bouguereau et Gabriel Ferrier. Est présenté par Bouguereau au concours sur places de l'Ecole des beaux-arts grâce auquel on devenait officiellement élève de l'école. Echoue en février 1892.

1892
Rencontre à l'Ecole des arts décoratifs Albert Marquet qui devient — et restera — son meilleur ami.

1895
Entre officiellement dans l'atelier de Gustave Moreau, aux Beaux-Arts. Ses camarades sont, entre autres, Rouault, Evenepoël, Bussy, Desvallières, Flandrin, Camoin. Copie beaucoup « Les Maîtres », « Le Louvre ». De Moreau, il dira plus tard : « Quel maître charmant c'était là ! Lui, au moins, était capable d'enthousiasme et même d'emballements. Tel jour, il affirmait son admiration pour Raphaël, tel autre jour pour Véronèse. Il arrivait un matin proclamant qu'il n'y avait pas de plus

grand maître que Chardin. » S'installe
19, quai Saint-Michel. Durant l'été,
voyage en Bretagne en compagnie
d'Albert Wéry.

1896

Expose au Salon annuel de la Société
nationale des beaux-arts deux natures
mortes dont une *Liseuse* — achetée par
l'Etat — et un *Intérieur d'atelier*. Ces
deux toiles, très remarquées, lui valent
d'être élu membre associé du Salon, sur
proposition de Puvis de Chavannes.
Cela lui permet d'exposer en 1897 cinq
toiles, dont *la Desserte* qui suscite
quelques critiques acerbes. Moreau
prend sa défense. En été, second
voyage en Bretagne où il découvre le
travail en plein air. La couleur, le soleil
apparaissent dans ses tableaux.

1898

Epouse Amélie-Noémie-Alexandrine
Parayre. Va à Londres sur les conseils
de Pissarro (pour voir les Turner), puis
voyage en Corse et dans le Midi. Mort
de Gustave Moreau.

1899

Retourne à l'Ecole des beaux-arts où
Cormon a remplacé Gustave Moreau.
« Moreau avait mis ses élèves non pas
dans un chemin, mais hors des chemins.
Il leur avait donné l'inquiétude. »
Mésentente entre les deux hommes.
Quitte, avec Marquet et Camoin,
l'atelier de Cormon, et va chercher les
modèles dont il a besoin à l'académie
Julian. Travaille aussi à l'académie
Carillo, rue du Vieux-Colombier, où

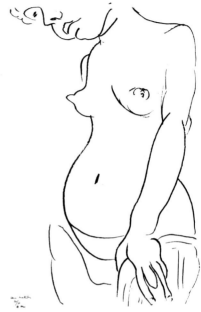

Nu au visage coupé, 1914

Figure allongée, tête dans la main, 1929

Eugène Carrière vient corriger. Le soir, de 8 à 10 heures, suit des cours de sculpture à l'école d'art municipale de la rue Etienne-Marcel. Fréquente maintenant assidûment les galeries d'avant-garde, en particulier celle d'Ambroise Vollard à qui il achète un dessin de Van Gogh, un plâtre de Rodin, un tableau de Gauguin (le Jeune Homme à la fleur de tiaré) et les Baigneuses de Cézanne, toile dont il fera don, trente-sept ans plus tard, au musée du Petit Palais. Il écrira alors à son propos : « Depuis trente-sept ans que je la possède, je connais assez bien cette toile, pas entièrement, je l'espère ; elle m'a soutenu moralement dans des moments critiques de mon aventure d'artiste ; j'y ai puisé ma foi et ma persévérance. »

1900
Pour subvenir aux besoins du couple, travaille avec Marquet aux frises qui devaient orner le Grand Palais à l'occasion de l'Exposition universelle. Tombe malade et part se reposer dans les Alpes. Il ne peint presque pas (« Je ne crois pas que les paysages de montagnes puissent profiter aux peintres. La différence d'échelle empêche tout contact intime »).

1901
Expose au Salon des indépendants.

1902
Première exposition chez Berthe Weill. Grave dépression due à ses ennuis financiers. Songe à abandonner la peinture. Passe l'hiver près de Bohain.

1903
Entre au Salon d'automne, tout nouvellement créé.

1904
Expose chez Vollard (46 toiles). Catalogue, préface de Roger Marx. Séjourne pendant l'été à Saint-Tropez avec Signac qui lui présente Félix Fénéon.

1905
Une tempête se déchaîne au Salon d'automne autour de sa toile, la Femme au chapeau. Michael et Sarah Stein s'en portent acquéreurs. C'est un tournant décisif dans sa vie : les ventes se multiplient, les difficultés matérielles sont résolues et le succès va grandissant.

1906
Exposition personnelle chez Druet (55 toiles). Envoie au Salon des indépendants une seule toile, mais capitale : le Bonheur de vivre — ou la Joie de vivre — qui sera achetée par Léo Stein.

1907
Apollinaire publie dans la Phalange un bel article sur Matisse. On y lit : « Lorsque je vins vers vous, Matisse, la foule vous avait regardé et comme elle riait vous aviez souri. On voyait un monstre, là où se dressait une merveille. (...) Henri Matisse échafaude ses conceptions, il construit ses tableaux au moyen de couleurs et de lignes jusqu'à donner de la vie à ses

combinaisons, jusqu'à ce qu'elles soient logiques et forment une composition fermée dont on ne pourrait enlever ni une couleur ni une ligne sans réduire l'ensemble à la rencontre hasardeuse de quelques lignes et de quelques couleurs. Ordonner un chaos voilà la création. Et si le but de l'artiste est de créer, il faut un ordre dont l'instinct sera la mesure. »

1908

Crée, sous l'impulsion de Sarah Stein et de Hans Purrmann, une « académie » qui ne durera que quelques années. « Cela me faisait donner beaucoup d'énergie. Alors j'ai réfléchi : devais-je être professeur ou peintre ? Et j'ai fermé l'atelier. »
Félix Fénéon l'introduit chez Bernheim où il signe un premier contrat. Le collectionneur russe Chtchoukine lui commande *la Danse* et *la Musique*.

1909

Expose à Moscou. Achète une maison à Issy-les-Moulineaux. « J'habite à 10 minutes de chemin de fer (54 trains par jour) de la gare Montparnasse. »

1910

Rétrospective à la galerie Bernheim-Jeune dont s'occupe Félix Fénéon. Voyage en Espagne.

1911

Voyage à Moscou.

1912

Expose — pour la première fois — des sculptures, à Londres. Séjourne au Maroc. De Tanger, il écrit à Camoin :

Le Faune, 1932

Figure face au bocal à poissons, 1929

« Nous jouissons du beau temps et de la végétation qui est tout à fait luxuriante. Je me suis mis au travail, et je ne suis pas trop mécontent, quoique ce soit bien difficile ; la lumière est tellement douce, c'est tout autre chose que la Méditerranée. »

1913

Expose « Tableaux du Maroc et sculptures » à la galerie Bernheim-Jeune. Participe à l'exposition internationale qui lance l'art moderne aux Etats-Unis, *The Armory Show* (New York, Chicago, Boston).

1914

Est à Paris lorsque la guerre éclate. Passe l'été à Collioure. « En dépit des pressions de certains secteurs conventionnels, la guerre [1914-1918] n'eut pas d'influence sur le sujet même de la peinture, car nous ne peignions plus de sujets à proprement parler. Pour ceux qui pouvaient encore travailler il n'y eut en réalité qu'une restriction de moyens, tandis que ceux qui ne le pouvaient pas éprouvèrent une accumulation de désirs qu'ils purent satisfaire quand la paix revint. »

1915

Expose à New York.

1916

Commence à séjourner de plus en plus souvent à Nice (hôtel Beaurivage).

1918

Rend visite à Renoir à Cagnes. Expose avec Picasso chez Paul Guillaume. « Si je ne faisais pas ce que je fais, je voudrais peindre comme Picasso, confie-t-il à Max Jacob. Tiens, c'est curieux ! répond celui-ci. Savez-vous que Picasso m'a fait la même remarque en ce qui vous concerne. »

1920

Réalise les maquettes des décors et costumes du ballet *le Rossignol* (musique de Stravinsky, chorégraphie de Massine), monté par les Ballets russes de Diaghilev.

1922

Expose à la galerie Bernheim-Jeune et ce régulièrement jusqu'en 1927.

1924

Expose à Copenhague.

1926

Voyage en Italie (Naples et Sicile).

1927

Expose à New York.

1928

Expose à Londres et New York, à la Valentine Gallery.

1930

Voyage à Tahiti. Fait escale à New York — où il songe revenir s'installer — et San Francisco. « Le séjour à Tahiti m'a apporté beaucoup. J'avais une grande envie de connaître la lumière de l'autre côté de l'équateur, de prendre contact avec les arbres de là-bas, d'y pénétrer les choses. Chaque lumière offre une harmonie particulière. C'est une autre ambiance. La lumière du Pacifique, des îles, est un gobelet d'or profond dans lequel on regarde. Je me souviens que tout d'abord, à mon arrivée, ce fut décevant et puis, peu à peu, c'était beau, c'était beau... c'est beau ! »

1931

Illustre les *Poésies* de Mallarmé pour Skira. « Des eaux-fortes d'un trait régulier, très mince, sans hachures, ce qui laisse la feuille imprimée presque aussi blanche qu'avant l'impression. Le dessin remplit la page sans marge, ce qui éclaircit encore la feuille, car le dessin n'est pas, comme généralement, massé vers le centre mais rayonne sur toute la feuille. » Expose à Bâle (Kunsthalle) et au Museum of Modern Art de New York (catalogue, texte de Alfred Barr).

1932

Travaille à *la Danse*, commandée par le docteur Barnes, fidèle collectionneur de ses tableaux. « Je l'avais en moi depuis longtemps et l'avais déjà placée dans *la Joie de vivre*, puis dans ma première grande composition. (...) Pendant trois ans, j'avais dû reconcevoir constamment mon œuvre comme un metteur en scène. Quand je travaille, c'est vraiment une sorte de cinéma perpétuel. Mais là, je n'en restais pas moins lié à l'architecture, car c'est elle qui commande.

1933

Suit une cure à Abano, près de Venise. Se fait conduire à Padoue chaque jour pour y admirer les fresques de Giotto. « Giotto est pour moi le sommet de mes désirs, mais la route qui mène vers un

Femme endormie, 1949

La Belle Tahitienne, 1937

équivalent, à notre époque, est trop importante pour une seule vie. Cependant les étapes en sont intéressantes », écrira en 1946 Matisse à Bonnard.

1934
Expose à la galerie que son fils, Pierre Matisse, vient d'ouvrir à New York.

1936
Expose à Londres, Paris et San Francisco (peintures, dessins, sculptures).

1938
S'installe à Cimiez, sur les hauteurs niçoises, dans un appartement de l'ancien hôtel Regina. Exécute les maquettes des décors et costumes pour le ballet *Rouge et Noir* (musique de Chostakovitch, chorégraphie de Massine).

1941
Subit une grave opération intestinale, dont il se remet bien. « J'ai appris qu'à la clinique les religieuses m'appellent le Ressuscité. Ce surnom me fait très plaisir. » De fait, c'est vraiment une « seconde vie » qui commence.

1943
S'installe dans la villa « Le Rêve » (Vence) où il résidera jusqu'en 1949, avant de retourner au Regina. Grande rétrospective de ses peintures (1898-1938) chez Pierre Matisse, New York.

1944
Commence une série de gouaches et de papiers collés qui deviendront un livre : *Jazz*, publié par Tériade en 1947.

1945
Expose avec Picasso au Victoria and Albert Museum (catalogue, préface de Christian Zervos). Peu sensible au surréalisme (« Je viens de recevoir le catalogue illustré de l'exposition surréaliste qui a lieu chez Maeght et les tarabiscotages de ces inventions me repoussent », écrit-il à André Rouveyre le 22 juillet 1947), s'intéresse à Soutine — il fait acheter par son fils l'un de ses tableaux dans une vente publique — et, après guerre, à Dubuffet qui lui rappelle Soutine « mais en plus fin ».

1946
Illustre les *Lettres d'une religieuse portugaise* (Tériade) et *Visages* de Pierre Reverdy (Éd. du Chêne).

1947
Expose à Liège.

1948
Exposition itinérante de ses dessins, organisée par The American Federation of Arts (Philadelphie, Beverly Hills, San Francisco, Minneapolis, Chicago, Washington, Baltimore...). Travaille à l'édification et la décoration de la chapelle du Rosaire de Vence. « Je vois la nécessité de m'éloigner de toutes contraintes, de toutes idées théoriques pour me livrer à fond et complètement, en me plaçant hors du moment, de cette mode de distinction du figuratif et du non-figuratif », écrit-il en décembre 1947 à Rouveyre. Tandis qu'à Picasso qui lui reprochait de faire une église et lui conseillait de faire plutôt un marché, il

rétorquera : « Mais je m'en fiche pas mal : j'ai des verts plus verts que les poires et des oranges plus oranges que les citrouilles. Alors à quoi bon ? »

1949
Œuvres récentes (1947-1949), au musée d'Art moderne de la Ville de Paris (catalogue, introduction de Jean Cassou).

1950
Expose à la galerie des Ponchettes (Nice) et à la Maison de la Pensée française à Paris (préface d'Aragon). Grande exposition à Milan.

1951
Expose au Japon (Tokyo, Kyoto, Osaka). Exposition *le Fauvisme* au musée d'Art moderne de la Ville de Paris.

1952
Epuisé par ses derniers grands travaux (la chapelle, les gouaches découpées), ne peut travailler autant qu'il le voudrait. « Tous mes organes sont bons, écrit-il au père Couturier. Seuls mes accumulateurs d'énergie sont à plat. Pourtant mes possibilités de production sont là, intactes... » Inauguration du musée Matisse au Cateau-Cambrésis.

1954
Matisse meurt le 3 novembre, terrassé par une crise cardiaque.

Masque blanc, 1951

BIBLIOGRAPHIE

Les *Ecrits et Propos sur l'art* de Matisse ont été réunis, sous ce titre, par Dominique Fourcade (collection « Savoir », Hermann, 1972). Une très intéressante « Correspondance Matisse-Camoin » a été publiée dans le n° 12 de *la Revue de l'Art* (1971) et Jean Clair a fait paraître dans *la Nouvelle Revue française* (n° 211 et 212, Gallimard, 1970), une « Correspondance Matisse-Bonnard » (1925-1946).

L'œuvre de Matisse a suscité de multiples commentaires, ouvrages critiques, monographies... Nous nous contentons ici d'indiquer quelques titres qui, pour une raison ou une autre, nous semblent offrir une bonne approche pour qui voudrait connaître mieux l'œuvre, et l'homme. Tout d'abord, l'étude fondamentale d'Alfred Barr (*Matisse, His Art and his Public*, New York, Museum of Modern Art, 1951). Le livre d'Aragon (*Henri Matisse, roman*, 2 tomes, Paris, Gallimard, 1971). On lira également avec intérêt les monographies de Jean-Louis Ferrier (*Matisse, 1911-1930*, Paris, Fernand Hazan, 1961) et Raymond Escholier (*Matisse, ce vivant*, Paris, Librairie Arthème Fayard, 1956). Enfin, la somme que Pierre Schneider a consacrée au peintre (*Matisse*, Paris, Flammarion, 1984) est déjà, et restera sans nul doute, par son ampleur et la justesse de sa critique, un maître livre.

A signaler également le beau livre de Jean Guichard-Meili sur les gouaches découpées (*Matisse, les Gouaches découpées*, Paris, Fernand Hazan, 1983).

On saluera en dernier lieu la naissance des *Cahiers Henri Matisse*, créés à l'occasion de la « refonte » du musée Matisse de Nice, qui veulent à la fois accueillir des études et des réflexions sur les voies ouvertes par Matisse, et accompagner les expositions que le musée organise. (Ont paru en 1986 : 1/ Matisse et Tahiti ; 2/ Matisse, Photographies ; 3/ Matisse, L'art du livre.)

TABLE DES ILLUSTRATIONS

Documents de couverture : *les Pommes*, 1916, huile sur toile, 116,8 × 89,4 cm, The Art Institute of Chicago. Henri Matisse à Vence, 1944-1945, photo Henri Cartier-Bresson.

LES MAÎTRES DE L'ART

Dans la même collection :

BOSCH, BRUEGEL, CÉZANNE, CHAGALL,
DALI, DEGAS, DUCHAMP, GAUGUIN,
GIACOMETTI, GIOTTO, HOKUSAÏ, KLEE,
LA TOUR, MAGRITTE, MIRÓ,
MODIGLIANI, MONET, MOREAU,
PICASSO, RENOIR, ROUSSEAU,
TOULOUSE-LAUTREC, VAN GOGH.

L'AVANT-GARDE RUSSE, DADA,
LE FUTURISME, L'IMPRESSIONNISME,
LES PEINTRES NAÏFS, LA PEINTURE
MODERNE, LE SURRÉALISME,
LE SYMBOLISME.

À paraître :

DAVID par Philippe Bordes
MONDRIAN ET DE STIJL par Serge
Lemoine
ACTION PAINTING par Catherine Millet
CALDER par Michael Gibson